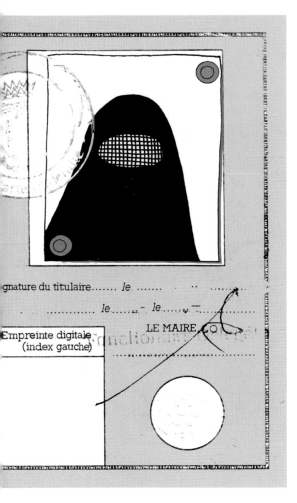

gnature du titulaire........ *le* ....

.   ... *le*....... .. *le*....... ..

Empreinte digitale
(index gauche)

LE MAIRE

Édition originale :
© 2007 Donzelli editore, Roma, Via Mentana 2b
INTERNET www.donzelli.it, E-MAIL editore@donzelli.it

© Pour les illustrations et les textes des dessins *Burqa!* : Simona Bassano di Tufillo
© Pour le texte *Ma vie à Kaboul* : Jamila Mujahed

Édition française :
Traduit de l'italien par Italo et Marianne Lassandro

Adaptation maquette : François Moreno
Relecture : Colette Malandain

Connectez-vous sur :
www.editionsdelamartiniere.fr
© 2008, Éditions de La Martinière, une marque de La Martinière Groupe, Paris

ISBN : 978-2-7324-3772-9
Dépôt légal : mars 2008
Achevé d'imprimer en février sur les presses de l'imprimerie Pollina à Luçon - n° L45803

Simona Bassano di Tufillo, nom d'artiste sbadituf, est née à Naples, en Italie. Elle est diplômée émérite de l'école des Arts visuels de Bologne et de graphisme de l'Académie des beaux-arts de Naples. Elle est également spécialiste de conservation et de valorisation de biens culturels. Fondatrice du mouvement artistique Direzione Obbligatoria (Direction obligatoire), elle organise des groupes de réflexion thématiques fondés sur les principes de la pluralité, de l'ironie et de l'engagement. Elle s'occupe en outre de promouvoir l'histoire et l'art auprès des enfants. Certains de ses travaux sont exposés à la cité des Sciences de Naples et au musée du jardin Minerva de Salerne.

Jamila Mujahed est née à Kaboul en Afghanistan. Elle préside The Voice of Afghan Women's Association and Radio, organisation non gouvernementale composée de femmes professionnelles des médias. Elle est également fondatrice de la seule revue féminine afghane *Malalai* (du nom d'une femme résistante) dont elle est éditrice. Pour son travail sans relâche en faveur de la reconnaissance des droits des femmes, Jamila a reçu de nombreux prix internationaux, dont le prix Johann Philipp Palm « Pour la liberté de la presse et d'opinion ». Elle est mariée à un professeur d'histoire de l'Académie afghane de sciences et mère de cinq enfants (quatre garçons et une fille).

BURQA!

24 illustrations
de **Simona Bassano di Tufillo**

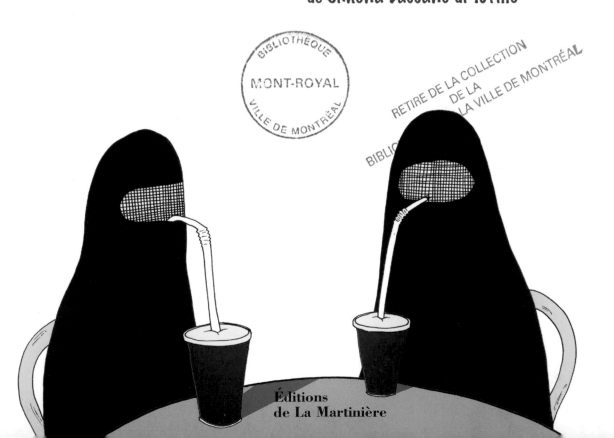

**Éditions
de La Martinière**

MA VIE À KABOUL

Jamila Mujahed

Chaque fois que je pense à la burqa ou que je vois des femmes dans la rue la porter, il me revient en mémoire le jour où, aussitôt que le régime des Talibans contrôla la ville de Kaboul, je fus moi aussi obligée de la porter.

Jamila Mujahed

Pendant mon enfance et mon adolescence, l'idée même d'essayer une burqa ne m'a jamais effleurée. J'ai grandi dans une famille instruite. Ma mère était la seule à n'avoir pas été à l'école, mais jamais elle ne m'a demandé de porter la burqa, bien qu'il lui soit arrivé de s'en couvrir quelquefois lors de visites à notre famille de province. Elle ne me l'imposait pas et ne cherchait pas davantage à me persuader qu'il fût juste de la porter. Il n'y avait vraiment aucune raison d'endosser cet habit-prison si incommode.

Jamila Mujahed

En Afghanistan, la burqa ne constituait pas une tradition culturelle forte : seul un faible pourcentage des femmes la portait dans les années 1950-1960, surtout dans les petites villes, tandis que dans les grandes il était rare de rencontrer une femme couverte. Toutefois, pendant les années de guerre contre l'Union soviétique, alors que se constituaient les factions moudjahidin, les femmes ont commencé à avoir de bonnes raisons de s'en revêtir. Les Moudjahidin souhaitaient qu'elles reviennent au port du hijab, le voile islamique, et dans certaines villes, pendant le conflit, ils les terrorisaient en leur jetant de l'acide au visage. Ces actes d'intimidation obligèrent les femmes à mettre la burqa pour sortir de chez elles.

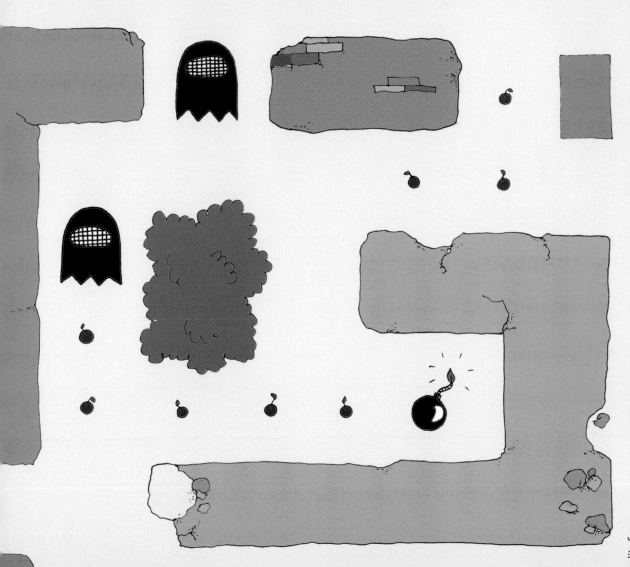

Jamila Mujahed

Et puis il y eut les multiples cas de viols et les mariages forcés, en particulier à l'époque des Moudjahidin, à Kaboul. Dans l'espoir d'échapper aux agressions des chefs et des soldats, les femmes de tous âges se protégeaient en cachant leur visage et leur beauté sous la burqa.

sbadituf

En tant que journaliste à la radio et télévision nationale afghane, parce que je me sentais protégée par ma profession, je n'ai jamais mis la burqa pendant le régime des Moudjahidin. Ne l'ayant jamais portée, je ne parvenais pas du tout à me faire à cette idée. C'est dans les tout premiers jours du régime taliban que j'ai été obligée d'en mettre une pour la première fois.

Après avoir vaincu les Moudjahidin, les Talibans sont partis à la conquête des grandes villes. Je me souviens qu'à Kaboul des rumeurs les décrivaient comme des musulmans radicaux qui n'autoriseraient plus les femmes à sortir de chez elles pour travailler, qui niaient le droit des jeunes à recevoir une éducation et qui allaient rendre obligatoire le port de la burqa.

Jamila Mujahed

sbadituf

Jamila Mujahed

Si ces rumeurs se révélaient fondées, comment pourrais-je me résoudre à porter la burqa, moi qui ne l'avais jamais fait auparavant ? Je ne savais pas encore que j'allais vivre le moment le plus amer de ma vie.

Jamila Mujahed

Le jour de la prise de Kaboul par les Talibans, je me préparais comme chaque jour pour aller travailler lorsque mon mari est venu m'annoncer la nouvelle qu'il avait apprise par les voisins : les Talibans venaient d'émettre une ordonnance intimant aux femmes l'ordre de rester chez elles dans l'attente de nouvelles instructions. La colère s'empara de moi et la peur m'envahit. Je pris soudain conscience que tout ce que j'avais entendu sur les Talibans à propos de leur discrimination à l'égard des femmes était bien réel. Malgré tout, j'avais encore l'espoir que, les jours suivants, ils nous laisseraient aller travailler.

Jamila Mujahed

En tant que journaliste, je passais la majeure partie de mon temps à l'extérieur de chez moi. Avec les Talibans au pouvoir, les choses allaient radicalement changer.

visage impénétrable

sbadituf

Jamila Mujahed

Le lendemain je décidai de sortir pour avoir une vision claire de la situation : je voulais voir si les femmes partaient travailler et si parmi elles certaines portaient la burqa. Avec horreur, je dus constater qu'elles avaient pratiquement toutes disparu de la ville et que les très rares encore visibles étaient couvertes de la tête aux pieds. Alors que j'entrais dans un magasin d'alimentation pour faire quelques courses, le propriétaire me conseilla de m'en retourner chez moi sur-le-champ. Un escadron religieux de Talibans tournait dans les rues, punissant à coups de fouet les femmes sans burqa. Je courus chez moi, si vite que je faillis tomber évanouie en arrivant.

fantômes

Jamila Mujahed

Je n'avais pas la moindre idée de la manière dont j'allais m'y prendre pour mettre cette burqa. Étant sans nouvelles de mon bureau ni d'éventuels permis de travail pour les femmes, je décidai d'aller parler à mes collègues pour définir les conditions de mon retour suite à la nomination du nouveau directeur de la télévision et radio nationale. C'est ainsi que je suis allée emprunter sa burqa à une voisine, lui demandant aussi de m'aider à l'enfiler. Je devais non seulement apprendre à la porter mais aussi à me déplacer ainsi couverte.

Jamila Mujahed

Quand j'ai enfilé la burqa, ce fut comme si le monde entier venait d'un seul coup de tomber dans le noir, et moi je me trouvai soudain emprisonnée dans une cellule minuscule. Ce sentiment m'était insupportable et je la retirai aussitôt. Pourtant, au fond de moi, je savais bien que si je voulais retrouver mon travail et communiquer avec mes collègues, je devais me résoudre à la porter.

Jamila Mujahed

J'entrepris donc de m'habituer à marcher en burqa, et fis de multiples séances d'essais chez moi. Il m'est impossible de dire ce que j'ai ressenti, mais je peux affirmer que ce fut une expérience terrible. Le grillage qui constituait mon seul accès au monde extérieur était si petit, si odieux ! Je me sentais propulsée malgré moi dans des temps nouveaux : les temps du malheur, de la discrimination, de l'ignominie et de l'oppression, de l'abus de pouvoir et de la violence.

Jamila Mujahed

Par la suite, après la chute des Talibans, une journaliste américaine m'a demandé ce que l'on ressentait sous une burqa. Je lui ai répondu qu'il était impossible de décrire la sensation exacte que l'on éprouvait, et que pour la comprendre elle devait la porter. Elle l'a enfilée mais s'en est aussitôt débarrassée, me disant qu'elle préférerait encore la prison.

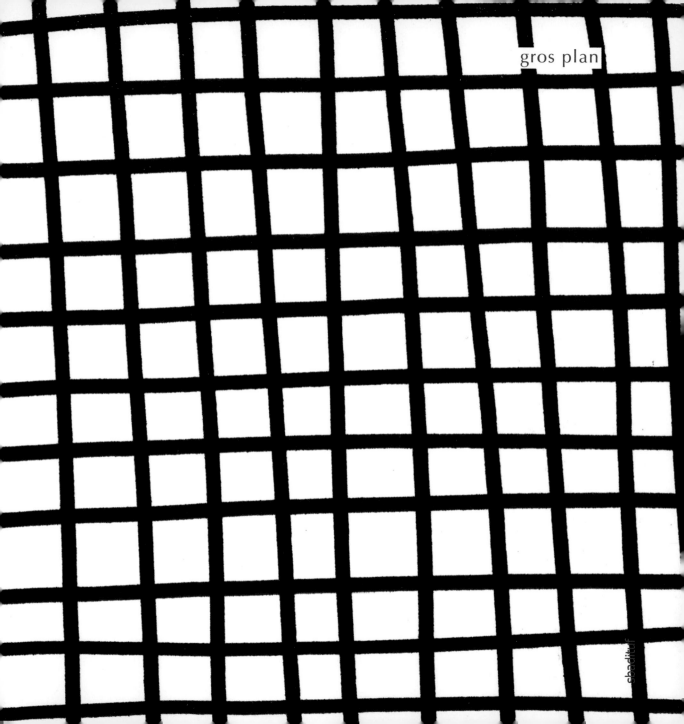

gros plan

Après des dizaines d'essais, j'ai décidé de me rendre à mon bureau. En marchant, j'apercevais à peine les rues, les gens, et le trafic automobile à travers les petits quadrillages.

Avec prudence, je m'apprêtai à traverser la rue.

Soudain, je me sentis heurtée violemment et projetée à terre à quelques mètres. Une douleur aiguë m'envahit et j'eus la nette sensation de m'être fracturé quelque chose. Des hommes s'étaient regroupés autour de moi, s'inquiétant de mon état. En essayant de me relever, je pris conscience que j'avais été renversée par une voiture. Le conducteur hurlait, demandant comment j'avais pu ne pas le voir, et si j'étais aveugle ! Je lui ai répondu que oui, c'était bien ça, que j'étais pratiquement aveugle dans cette burqa que l'on m'obligeait à porter et qu'il ne pouvait pas imaginer ce que signifiait se promener vêtue de cette chose. L'homme s'est alors excusé et s'est proposé de me conduire à l'hôpital le plus proche. Une fois sortie de l'hôpital, j'ai dû rester couchée plusieurs jours, la jambe immobilisée.

Jamila Mujahed

Quelques jours plus tard, j'étais prête à retenter l'expérience. Je suis retournée chez ma voisine pour lui emprunter à nouveau sa burqa. En la voyant, je restai stupéfaite. Elle était blessée au visage et à la tête, sa burqa toute déchirée. Elle me raconta qu'elle était sortie faire des courses avec son mari, à bicyclette. Sur le trajet, alors que son mari pédalait et qu'elle était assise derrière lui, la burqa s'était prise dans les rayons de la roue, et, avant qu'elle ait eu le temps de réaliser ce qui se passait, elle s'était retrouvée au sol, découverte, le visage sévèrement éraflé.

J'ai ressenti une grande tristesse pour elle, et j'ai alors pris conscience que ses problèmes étaient aussi les miens, que notre destin était commun à celui de toutes les femmes.

Jamila Mujahed

Jamila Mujahed

J'ai fini par demander à mon mari de m'acheter une burqa. Avant l'arrivée des Talibans, il m'arrivait très souvent pour mon travail de passer à l'extérieur jusqu'à douze heures consécutives. Je devais désormais rester à la maison des jours entiers, voire des semaines, sans aucune nouvelle du monde extérieur et sans pouvoir aller nulle part ; cela m'était insupportable.

Un soir, il m'a rapporté une burqa bleue, la meilleure qu'il ait pu trouver au bazar, m'a-t-il dit. Je lui révélai ce que la burqa signifiait pour moi : une prison, et peut-être pire encore. Toutes les prisons sont horribles. Il n'en existe aucune qui soit plus désirable qu'une autre. Et porter une burqa n'est en rien préférable à la prison.

Jamila Mujahed

Affublée de ma robe, je suis sortie faire quelques achats dans les magasins de mon quartier. On aurait dit une journée tranquille, il y avait peu de gens dans les rues, sans doute parce que les femmes – la moitié de la société – étaient chez elles. J'allais de boutique en boutique, trébuchant à chaque deux ou trois pas, quand j'entendis des cris. J'aperçus un groupe de Talibans qui molestaient une femme à coups de bâton ; des gens étaient attroupés autour d'eux, observant la scène.

sbadituf

Jamila Mujahed

Je tentai de m'approcher et demandai en criant aux Talibans pour quelles raisons ils frappaient cette femme. On me répondit qu'elle portait une burqa trop courte qui ne lui couvrait pas les jambes et qu'elle devait donc être punie. Ils ajoutèrent qu'il n'était pas convenable pour une femme de sortir dans la rue et que je ferais mieux de retourner chez moi sans quoi je serais punie moi aussi. Je suis rentrée chez moi immédiatement, tellement choquée que je n'ai voulu en parler à personne. Une nouvelle blessure venait de m'être infligée.

sale temps

sbadituf

Jamila Mujahed

Après cet épisode, je n'ai presque plus essayé de sortir de chez moi, d'autant que mes collègues m'informèrent que les femmes n'étaient désormais plus autorisées à travailler dans les bureaux et que, par conséquent, j'avais été licenciée.

Jamila Mujahed

Au fond, mon expérience personnelle n'était que la face immergée de l'iceberg. J'ignorais si l'avenir nous réservait des temps plus radieux sans burqa, mais je l'espérais. J'espérais qu'un jour il y ait encore des femmes libres d'aller à l'école, de travailler et de sortir dans les rues.

Kaboul, septembre 2006